Liebe Leserin, lieber Leser,

kennst du schon alles aus meiner Reihe?

Das kleine Böse Buch

Das kleine Böse Buch 2 – Jetzt noch gefährlicher!

Das kleine Böse Buch 3 – Deine Zeit ist gekommen!

Das kleine Böse Buch 4 – Teuflisch gut!

Das kleine Böse Buch 5 – Unheimlich magisch!

Das kleine Böse Buch 6 – Monstermäßig fies!

Ab August 2024: *Das kleine Böse Buch 7 – Unvorstellbar schrecklich!*

Das kleine Böse Buch SPEZIAL

Das kleine Böse Rätselbuch

Das kleine Böse Rätselbuch 2

Das kleine Böse Kartenspiel

Das kleine Böse Kartenspiel – Monster-Mogeln

2. Auflage 2024
© Ueberreuter Verlag GmbH, Berlin 2023
ISBN 978-3-7641-5264-2

Lektorat: Angela Iacenda
Umschlag- und Innenillustrationen: Thomas Hussung

Druck und Bindung: CPI books GmbH
Satz: Hermann Zanier, Berlin
Gedruckt auf Papier aus geprüfter nachhaltiger Forstwirtschaft.
www.ueberreuter.de
www.daskleinebösebuch.de

MAGNUS MYST

Das kleine Böse Buch

ADVENTSKALENDER

Mit Illustrationen von
Thomas Hussung

ueberreuter

Hey! Da bist du ja! Endlich! Gut, dass du mich liest! Ich hab auf dich gewartet! Schnell! Es ist was Furchtbares passiert!

Ja, echt, und es ist noch schlimmer, als du es dir vorstellst! Weil es nicht nur für mich schlimm ist! Sondern auch für andere! Fast jeden, den du kennst! Sogar für dich!

Und wenn du jetzt glaubst, das war's schon, dann halt dich fest: Du irrst dich! Weil weißt du, was das Schlimmste an der Sache ist? Ich bin auch noch schuld daran!

Dabei wollte ich das gar nicht! Ehrlich! Ich schwör! Jedenfalls nicht so.

Aber ich verrat dir erst mal, was los ist, ja? Dann siehst du ja selbst!

Also worum es geht ... Was nämlich los ist ...

2

Ich glaub, ich hab Weihnachten kaputt gemacht!

Verstehst du jetzt?!

Weihnachten! Kaputt! Und das war ich!

AAAH!

Kannst du dir das vorstellen? Kein Weihnachtsfest! Keine Tannenbäume! Keine Geschenke! Nicht mal Plätzchen! Nichts!

Dabei wollte ich doch nur ... hab ich doch nur ...

Also, o. k., ich glaube, ich muss dir noch eine Chance geben. Wenn du mit all dem lieber nichts zu tun haben willst, dann hör jetzt auf zu lesen.

Wenn du aber wissen willst, warum ausgerechnet du dafür sorgen könntest, dass Weihnachten doch noch stattfindet, *dann lies weiter auf Seite 114!*

Das ist die Liste! *Trage alle herausgefundenen Seitenzahlen hier ein!*

Tag	Geschenkanhängerbild	Seite
01. Dezember	_____	_____
02. Dezember	_____	_____
03. Dezember	_____	_____
04. Dezember	_____	_____
05. Dezember	_____	_____
06. Dezember	_____	_____
07. Dezember	_____	_____
08. Dezember	_____	_____
09. Dezember	_____	_____
10. Dezember	_____	_____
11. Dezember	_____	_____
12. Dezember	_____	_____
13. Dezember	_____	_____
14. Dezember	_____	_____

Tag	Geschenkanhängerbild	Seite
15. Dezember	_____	____
16. Dezember	_____	____
17. Dezember	_____	____
18. Dezember	_____	____
19. Dezember	_____	____
20. Dezember	_____	____
21. Dezember	_____	____
22. Dezember	_____	____
23. Dezember	_____	____
24. Dezember	_____	____

Mach am besten ein Eselsohr, damit du diese Seite ganz einfach wiederfindest!

Oh nein, Ruprecht hatte recht! In dem Geschenk ist bloß ein Zettel? Und er ist auch noch verschlüsselt!

Davon lassen wir uns nicht aufhalten, oder, lieber Leser, liebe Leserin? Schließlich steht Weihnachten auf dem Spiel! Schnell! *Entschlüsseln wir den Code!*

UCGFL9AFRQUSLBCP!

_____ !

JGCQ QMDMPR Q.Y87

_____ _____ . _____

9 0 A B C D E F G H I J K L M N O P
| | | | | | | | | | | | | | | | | |
A B C D E F G H I J K L M N O P Q R

Q R S T U V W X Y Z 1 2 3 4 5 6 7 8
| | | | | | | | | | | | | | | | | |
S T U V W X Y Z 1 2 3 4 5 6 7 8 9 0

Da siehst du? Auf einmal war dieser Mann in mir.

Weißt du, wer das ist? Kannst du ihn erkennen?! Aaaah!

Das ist der Weihnachtsmann!

Verstehst du jetzt? Der Weihnachtsmann. In mir! Bewusstlos!

Ich glaub, ich hab echt Mist gebaut. Diesmal hab ich's vielleicht ein kleines bisschen übertrieben!

Ich mein, wie kann Weihnachten stattfinden,

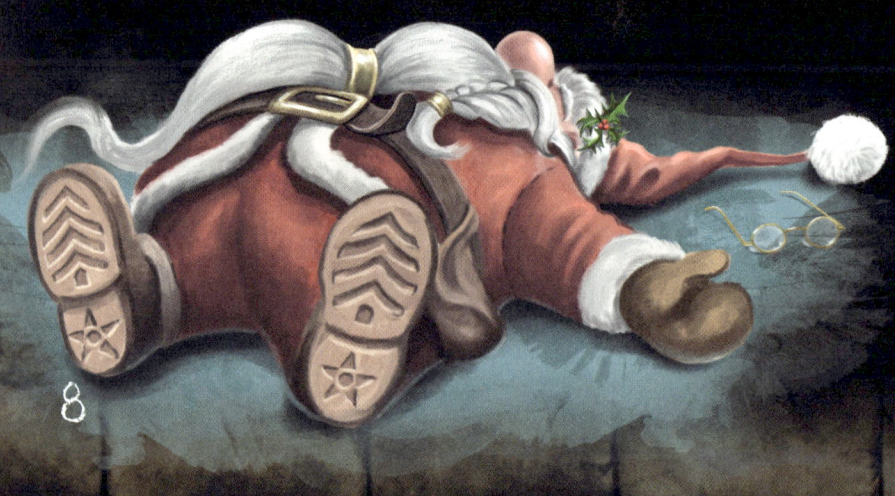

solange der hier ohnmächtig rumliegt? Und nicht da draußen auf seinem Schlitten umher-fliegt? Der organisiert das doch alles! Und bringt er nicht auch die Geschenke?

Aaah! Solange er hier ist, fällt Weihnachten aus! Und wenn die Leute rausfinden, dass ich daran schuld bin ... oje! Ich darf gar nicht dran denken! Dann will mich niemand mehr lesen! Nie wieder!

Und du wünschst dir ja bestimmt auch ein schönes Weihnachtsfest, oder?

Aber zum Glück gibt's auch eine gute Nach-richt. Also glaub ich zumindest. Denn mit dei-ner Hilfe kriegen wir das bestimmt alles wieder hin!

Ich bekomme ihn nämlich einfach nicht wach! Hab schon alles versucht.

Aber ich hab in seiner Manteltasche einen ge-heimnisvollen Zettel gefunden. Guck mal:

Um Weihnachten zu retten:
Warte bis zum 1. Dezember.
Dann öffne das erste Geschenk.
Jeden Tag nur eins!

Hast du das gelesen? Wir sollen bis zum 1. Dezember warten. Und dann ein »Geschenk« öffnen. Damit sind sicher diese verschlossenen Seiten in mir gemeint, die sind dir bestimmt schon aufgefallen. Die sind in mir aufgetaucht, als ich den Zettel gelesen habe! Wie aus dem Nichts! **PUFF!** Aber ich brauch deine Hilfe, um sie zu öffnen!

Darin finden wir bestimmt einen Weg, um Weihnachten zu retten! Wir müssen nur bis zum 1. Dezember warten.

10

Also? Wie sieht's aus? Bist du dabei? Hilfst du mir, Weihnachten zu retten? Sozusagen wir beide als ... ähm ... Geheimagenten! Genau! Zwei supergeheime Geheimagenten, die Weihnachten retten. Wär doch spannend, oder?

Wenn du dabei bist, musst du jedenfalls nichts weiter tun, als *auf den 1. Dezember zu warten. Und dann das erste Geschenk zu öffnen!* Dann geht's los!

Aber du kannst ja schon mal gucken, welches Geschenk du dann öffnen musst. *Such das Geschenk, auf dem »1« steht.*

Dann *notiere seine Seitenzahl in der Liste auf Seite 4!* Ich hab dir die Liste extra gemacht, damit du dort alle Seitenzahlen, die du herausfindest, eintragen kannst. So weißt du immer, wo du am nächsten Tag weiterlesen musst. Nicht, dass das durcheinandergerät, *wir dürfen ja jeden Tag nur eins öffnen* und sollten kein Risiko eingehen!

Aber es wird sich bestimmt lohnen, bis zum 1. Dezember zu warten. Ich habe nämlich das Gefühl, dass dann etwas Großartiges passiert! Vielleicht ja sogar eine ganz unglaubliche Geschichte, in der wir beide Weihnachten retten und alles wieder gut wird, zum Beispiel!

Also, bis zum 1. Dezember!_____

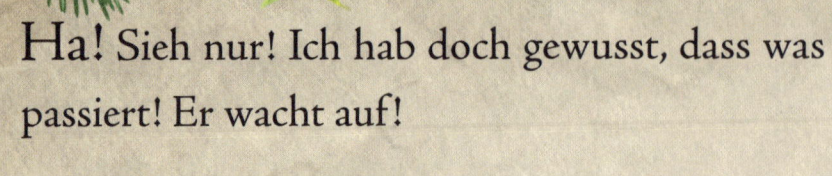

Ha! Sieh nur! Ich hab doch gewusst, dass was passiert! Er wacht auf!

Oh, mein Kopf … Wo bin ich? Und wer seid ihr?

Ach, ähm … Wir sind hier nur so vorbeigekommen, und da lagst du, ich meine … Sie, Herr Claus, oder heißt es Herr Santa Claus?

Wie hast du mich genannt? Santa Claus? Komischer Name. Hm. Ich kann mich an nichts erinnern. Nur noch an … da war so ein Knall.

Oh nein! Er hat sein Gedächtnis verloren! Wir sind im Eimer!

Wir müssen was tun, damit er sich erinnert. Sonst ist Weihnachten verloren!

Sieh mal! Vielleicht können wir seinem Gedächtnis ja auf die Sprünge helfen. Sortieren wir die Bruchstücke dort unten! Vielleicht kommt dann seine Erinnerung wieder!

Die Lösung ergibt bestimmt die Seite des Geschenks, in dem wir uns morgen wiedertreffen! *Notier sie in der Liste auf Seite 4. Aber erst morgen öffnen!* Auf dem Zettel stand, jeden Tag nur eins! Besser, wir halten uns daran. Nicht, dass wir alles noch schlimmer machen!

WE=FÜ

ACH=NDZ

ANN=ZIG

IHN=NFU

TSM=WAN

16

Es hat geklappt! Wow, toller Schlitten!

Meine Lieblinge! Da seid ihr ja!

Aber was ist das? Oh nein! Ruprecht hat den Geschenkesack vom Nikolaus zerschnitten! Alle Kekse sind rausgefallen! Er will verhindern, dass die Kinder **Süßigkeiten** bekommen! Stellt euch vor, wie furchtbar, wenn am 6. Dezember leere Stiefel vor der Tür stehen!

Oh nein, wir müssen die Kekse wieder ein-
sammeln. Die alle zu finden kann Tage dau-
ern! Aber es muss sein. Also los! Du bist gefragt,
such alle Kekse! Wahrscheinlich sind sie
überall zwischen den Geschenken von Seite 20
bis Seite 61 verteilt! *Die Anzahl verrät
uns bestimmt, auf welcher Seite
es morgen weitergeht! Notier sie
in der Liste auf Seite 4!*

Ho, ho, ho! Einen frohen Nikolaustag!

Dank eurer Hilfe sind heute Nacht Millionen Kinder mit Süßigkeiten beschenkt worden! Gleich morgen fahren wir zu mir nach Hause – und halten ihn auf! Dann bringen wir Weihnachten wieder in Ordnung.

Und wo ist dein Zuhause?

Tja, ho, ho, ho, ähem … Ich kann mich immer noch nicht richtig erinnern.

Aber ich habe eine Idee: Ich lasse eins der Rentiere laufen. Mal sehen, wohin es uns führt! Dann wissen wir, wohin wir morgen reisen müssen!

Verfolge die richtige Spur und finde heraus, wohin uns das Rentier führt. **Such das**

Geschenk mit dem richtigen Symbol am Ende des Wegs auf dem Geschenkanhänger!

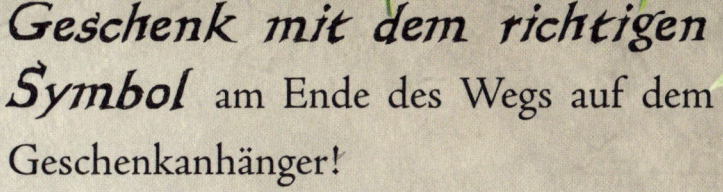

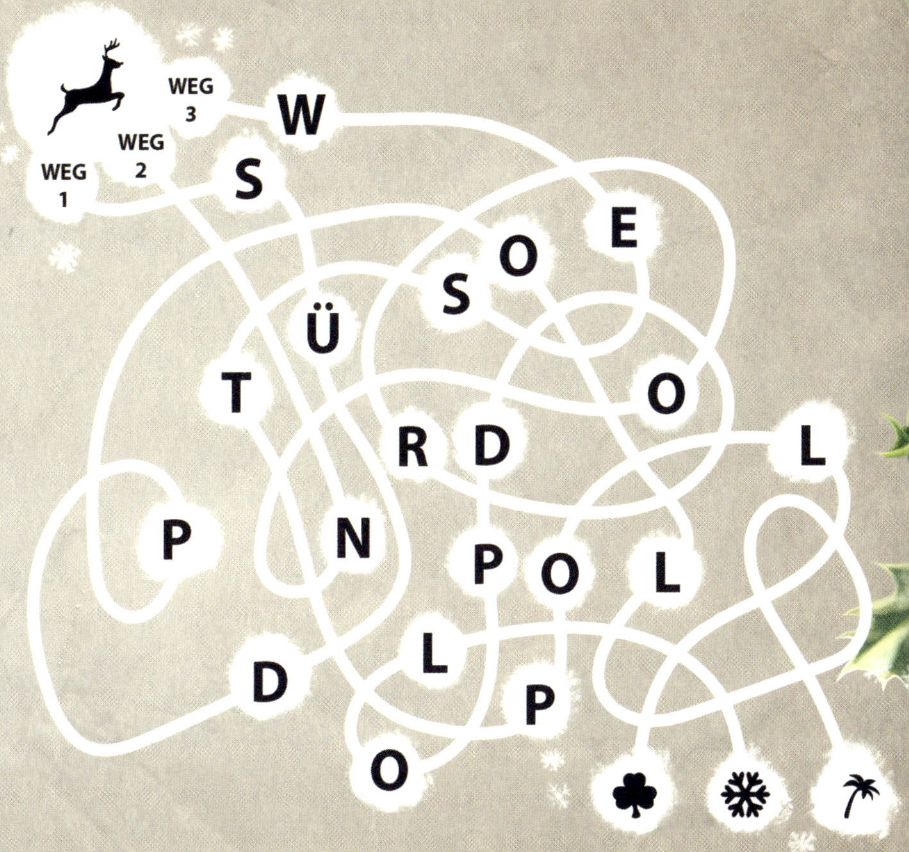

WEG 1
WEG 2
WEG 3

W
S
Ü
S
O
E
T
R
D
O
L
P
N
P
O
L
D
L
P
O

24

Jetzt erinnere ich mich! Natürlich! Ich bin der Weihnachtsmann!

Und da war eine Explosion! Am Nordpol. Alles war voller Rauch und … Nein! Das kann nicht sein!

Ja, siehst du, lieber Weihnachtsmann, das war nämlich so … ähm … Ich schwöre, ich wollte nur einen kleinen Zauber …

Wie konnte er nur!? Wir müssen was tun! Sonst ist Weihnachten verloren!

Er? Wen meinst du? Nicht mich?

Was hast du denn damit zu tun? Nein, ich rede von meinem Helfer. Der war's!

Deinem Helfer?!

Ja! Sein Name liegt mir auf der Zunge. Ihr wisst schon! Der böse Kinder bestraft! Mein Knecht! Ich kann mich immer noch nicht richtig erinnern.

Bestrafen? Bösesein ist doch cool! Na ja, egal! Kennst du Santas Knecht? *Finde 4 Merkmale von ihm.* Dann erinnert Santa sich vielleicht an seinen Namen:

Rosa Tütü = *19*   Feuerwehrhelm = *30*

Sack voll Kohle = *15*

Fönfrisur = *4*

Struppiger Bart = *18*

Braune Lumpen = *1*

Borstige Haare = *3*

Zauberstab = *78*

? + ? + ? + ? = Seite vom morgigen Tresor! Schreib sie in die Liste auf Seite 4!

Du hast alle Kekse gefunden! Ha! Damit hat Ruprecht nicht gerechnet!

Gut, dass ich euch getroffen habe! Damit durchkreuzen wir seine finsteren Pläne. Jetzt müssen nur noch alle ihre Stiefel rausstellen, und der erste große Weihnachtstag kann kommen: Nikolaus!

Am besten, du stellst heute Abend auch einen Stiefel raus. Um zu testen, ob es geklappt hat! Sag auf jeden Fall deinen Eltern Bescheid und zeig ihnen den Stiefel. Und jetzt los! Zur Not geht auch eine Socke!

Solltest du morgen im Lauf des Tages Ruprecht begegnen, lass dir nichts anmerken. Er darf nicht wissen, dass wir ihm auf der Spur sind. Wenn du ihn siehst, tu so, als wäre gar nichts. Ich hoffe nur, du warst brav!

Ach, wir … ähm … sind doch immer brav, nicht wahr?

Ho, ho. Wir sehen uns morgen wieder. Auf Seite … Ja, wo denn eigentlich?

Ich weiß! Das ist ganz einfach:
   Wenn der Tag nach morgen der 7. Dezember wäre, dann am Tag vor übermorgen.

Also los, finde das verschlossene Geschenk, dessen Geschenkanhänger die Nummer des Tags zeigt und schreib seine Seitenzahl in die Liste auf Seite 4!

33

Zum **Nordpol** müssen wir! Ja, stimmt! **Oh nein!** Bestimmt hat Knecht Ruprecht dort alles kaputt gemacht! Wir müssen unbedingt hin und Weihnachten wieder in Ordnung bringen! Ich hoffe nur, er hat den Wichteln nichts getan …

Und wie kommen wir zum Nordpol? Mit deinem Schlitten?

Genau. Es gibt nur ein winziges Problem. An den genauen Weg kann ich mich immer noch nicht erinnern.

Die Explosion hat mein Gedächtnis ziemlich durchgerüttelt.

Nicht schlimm. *Zum Nordpol müssen wir nur dem Polarstern folgen!* Hat mir mal ein schlaues Buch verraten.

Ach, und welcher ist der Polarstern?

Na, der hellste von allen! *Zähle die Punkte aller Sterne zusammen, die zum richtigen Sternbild gehören, und notier die Seitenzahl in der Liste auf Seite 4!* Morgen fliegen wir los!

Er heißt Ruprecht! Ach ja! Er wollte mich in seinen Sack stecken! Könnt ihr euch das vorstellen? Er hat gewütet, dass er Weihnachten zerstören will!

Waaaas?!

Wir müssen ihn aufhalten! Bitte helft mir, Weihnachten zu retten!

Ja, ähm, genau genommen hatten wir das sowieso vor ... Ähm, ich meine: Ist das nicht wahnsinnig gefährlich?

Und wie! Aber wir müssen es versuchen. Sonst fällt Weihnachten aus!
    Als Erstes brauchen wir meinen Schlitten!

Der, womit du durch die Nacht fliegst?

Genau! Aber die Explosion hat die Rentiere ver-
scheucht. Sie sind am Himmel verstreut!

Dann leinen wir sie wieder an! Schnell! Liebe Le-
serin, lieber Leser, **verbinde sie in dieser
Reihenfolge:** Dasher → Dancer → Prancer.
Vixen → Comet → Blitz → Donner. Cupid
→ Rudolph. Dann sehen wir sicher, in welchem
Geschenk sie morgen landen. *Schreib die
Antwort in die Liste auf Seite 4.*

Dancer   Vixen   Comet

Dasher

Cupid

Blitz   Rudolph

Prancer   Donner

41

Du hast uns gefunden! Gut, dass dir nichts passiert ist! Puh!

Mein Schlitten! Nur noch Trümmer! Aber den Rentieren geht's gut, zum Glück.
   Wenn ich Ruprecht erwische! Eine Rakete! Das ist so unweihnachtlich! Wie konnte er nur?!

Das fragst du noch?! Mit deinem hübschen Mantel! Und dem fliegenden Schlitten voller Geschenke? Jeder mag dich! Aber an mich denkt keiner! Nur weil ich ihre verzogenen Gören bestrafe! Letztens meinte ein Papa, ich sollte seinen Kindern doch lieber Süßigkeiten bringen.

Süßigkeiten?! Ich?! Ich bin Knecht Ruprecht! Von mir gibt's Kohle! Und was mit der Rute! Und sonst nichts!

Aber jetzt werden sie sehen, was sie davon haben! Diesmal bestrafe ich sie alle! Ich mache Weihnachten kaputt! So nämlich!

Und ihr kommt jetzt dahin, wo ihr hingehört: In den Sack für böse Kinder!

Aah, er steckt uns in seinen Sack! Schnell, liebe Leserin, lieber Leser, hau ab! *Ich versteck auf meiner Buchrückseite eine Seitenzahl!* Ganz klein. *Geh und such sie!* Das ist die Seite vom Geschenk, in dem wir uns morgen treffen! *Such sie und schreib sie auf!* Bis morgmppff ...

Du hast uns aus dem Sack befreit! Sehr gut! Aber wo sind wir?!

Das ist das Eislabyrinth! Unter dem Nordpol. Das ist riesig. Bis zum Ausgang brauchen wir mindestens einen Tag! Wenn man den Weg kennt. Aber mir fehlt wieder die Erinnerung!

Kein Problem. Wir finden hier schon raus, oder? *Nimm am besten einen Bleistift und schau, bei welcher Seitenzahl wir rauskommen. Trag sie in die Liste auf Seite 4 ein!* Dort sehen wir uns morgen wieder!

Start

22   61   56

Der kleine Wagen! Du hast ihn gefunden!

Ho, ho, ho! Das ist die richtige Route! Ich erkenne sie wieder! Und beim Polarstern links! Genau! Das war's!

Wahnsinn, wir reisen zum Nordpol! Mich gibt's ja schon in vielen Ländern, aber dass ich es bis zum Nordpol schaffe, hätte ich nie gedacht!

Da unten ist es! Macht euch bereit zur Landun... Was? Was ist **das** denn?!

Eine Rakete! Ausweichen! Ausweichen!

Zu spät!

Schnell! Bring dich in Sicherheit! *Finde morgen unsere Absturzstelle!* Wir versuchen, irgendwo in einem Geschenk zwischen Seite 33 und 49 runterzukommen ......
AAAH

53

Du hast uns gefunden! Ruprecht hat unseren Sack irgendwo hingehängt. Keine Ahnung, wo wir sind. Aber es ist kalt.

Ich versteh nicht, was mit ihm los ist. Er war noch nie beliebt. Aber das hat ihm nie was ausgemacht. Im Gegenteil. Hauptsache, er konnte böse Kinder bestrafen.

Ein bisschen böse finde ich ja toll. Aber das ist ja völlig wahnsinnig! Ohne Weihnachten könnte ich unter keinem einzigen Weihnachtsbaum liegen. Wer will denn so was?!

Sag ich doch. Wir müssen hier raus. Ansonsten sind wir für immer gefangen!

Hey, seht ihr die Fäden da? *Wenn wir am richtigen ziehen, ribbeln wir den*

Sack vielleicht auf! Wir müssen ihn nur finden! 15

Das musst du machen, lieber Leser, liebe Leserin! *Folge dem losen Faden! Wenn du die Zahlen richtig zusammenzählst, weißt du, aus welchem Geschenk wir morgen entkommen können!*

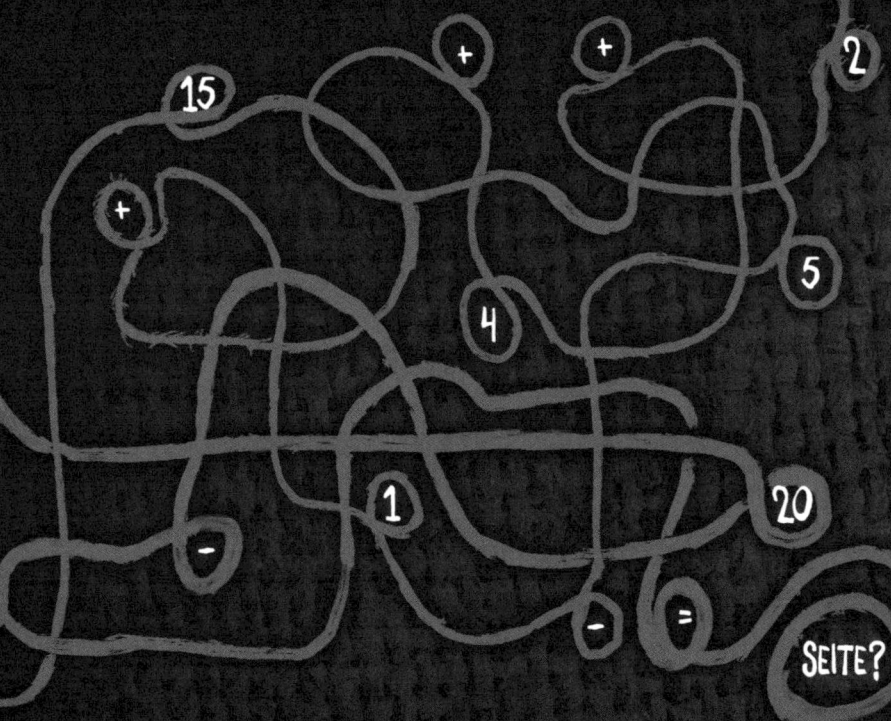

Ja! Die Öfen brennen wieder! Wie das duftet! **Mhhmmm!** Lebkuchen, Zimt und Marzipan! Riecht ihr das?

Wir müssen weiter in die Geschenkefabrik. Wenn ich richtigliege, war Ruprecht dort zuletzt.

Ja, er hat was von Geschenken gebrüllt. Dass er allen zeigen würde, was sie davon haben, wenn sie ihn nicht mitmachen lassen.

Gut, dann schnell zur Geschenkefabrik. Aber wie kommen wir da hin?

Der kürzeste Weg ist mit Wunschzettelmagie! Wir müssen die 5 liebsten Wünsche erraten. Kreuz sie auf die-

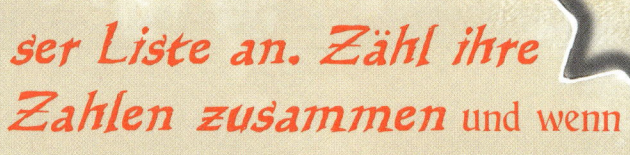

*ser Liste an. Zähl ihre
Zahlen zusammen* und wenn
wir richtigliegen, treffen wir uns morgen in
der Geschenkefabrik wieder!

WUNSCHZETTEL

- ○ **Einzelne Socke** = *3*
- ○ **Eiswürfel** = *19*
- ○ **Alte Farbe** = *7*
- ○ **Neues Fahrrad** = *10*
- ○ **Klobürste** = *89*
- ○ **Tolles Spiel** = *5*
- ○ **Eigenes Haustier** = *20*
- ○ **Cooles Handy** = *15*
- ○ **Korken** = *73*
- ○ **Leere Batterie** = *23*
- ○ **Kleines Böses Buch** = *15*

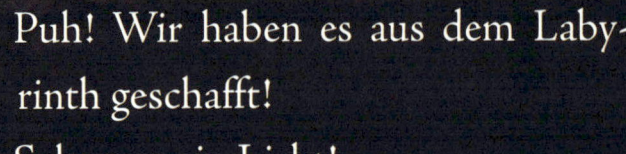

Puh! Wir haben es aus dem Labyrinth geschafft!
Seht nur, ein Licht!

Du?! Hier?!

Santa, bist du das? Oh, ich freu mich
so, dich zu sehen! Ruprecht hat
mich in diesen Käfig gesteckt.
Was ist nur los mit ihm? Er hat
mir Angst gemacht.

Uns auch. Aber keine Sorge,
wir holen dich hier raus.

Wer ist denn das?

Das, meine Lieben, ist der Geist der Weihnacht!
Ruprecht muss sie hier eingesperrt haben!

Geist der Weihnacht? Oje, was hat Ruprecht nur angerichtet? Wir holen dich hier raus! Das schaffen wir doch, oder? Schau! *Da ist ein Schlüssel! Wir müssen ihn nur ins richtige Schloss stecken. Aber welches?*

Schlauster Leser, klügste Leserin, *finde es bitte raus und befreie den Geist der Weihnacht!*

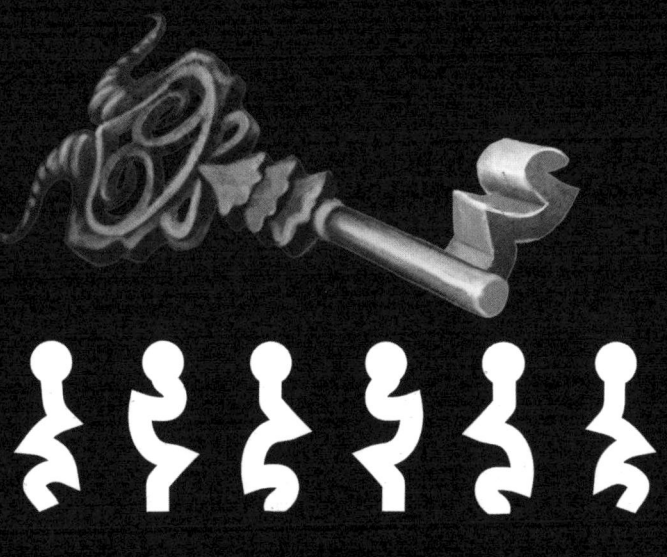

S.8   S.150   S.132   S.5   S.73   S.3

Super, wir sind in der Geschenkefabrik! Hier kommen die Wunschzettel
in den Sternenpunsch. Aber was ist das?
Hier ist ja alles schwarz!

Oh nein! Ruprecht hat die Fabrik sa-
botiert! Es kommen nur noch böse Geschenke raus!

Böse Geschenke? Finde ich lustig!

Lustig? Das ist eine **Katastrophe!**
Wir müssen was tun! Denkt nur an
all die Enttäuschung und Tränen am
Weihnachtsabend! Moment mal, wieso
steht denn bei einem Hebel dein Name?

Das muss vom Zauberspruch …
Ähm, ich meine … Das ist sicher nur
Zufall, weil mich so viele mögen. Schnell!
Stell die 3 Hebel wieder richtig ein. So schwer kann das ja nicht
sein, oder?

Addiere die Zahlen der richtigen Hebeleinstellungen zusammen und schreib die Lösung in unsere Liste auf Seite 4. Dann funktioniert die
Fabrik morgen wieder!

Das kleine böse Buch

35 FREUDE	2 HASS	1 NEID
0 ANGST	25 ÜBERRASCHUNG	33 EIFERSUCHT
2 TRAUER	6 EKEL	5 GIER
3 WUT	9 IGNORANZ	21 DANKBARKEIT

Ihr habt uns gefunden! Jippie! Ruprecht hat in der Bäckerei getobt! Und dann hat er alle Öfen abgeschaltet! Wir haben uns versteckt! Ist er weg?

Ja, alles gut, ihr könnt rauskommen. Schnell! Schmeißt die Öfen an und backt um euer Leben! Wir müssen Weihnachten retten!

Jawohl! Aber Ruprecht hat alles durcheinandergebracht. Wir brauchen die 5 Weihnachtsgewürze!

Schaffst du das? *Finde die 5 weihnachtlichsten Gewürze!* Zur Not frag jemanden. Aber unauffällig!

Dann verraten euch die Silben dahinter, wel-
che Leckerei wir als Erstes backen.

Wir finden sie bestimmt auf dem
Zettel des Geschenks, in dem wir
uns morgen wiedertreffen!

Rettich = DS   Knoblauch = PL

Tomate = HI   Kardamom = KUC

Nelke = LEB   Erdbeere = UV

Petersilie = EX   Anis = HEN

Senf = DW   Muskat = MA

Zimt = NN   Zwiebel = Z

Es hat geklappt! Das Schloss ist auf! Aber ... Was?!? Noch ein Schloss!? Das ist unfair! Das erste hat schon einen Tag gedauert! Das schaffen wir nie!

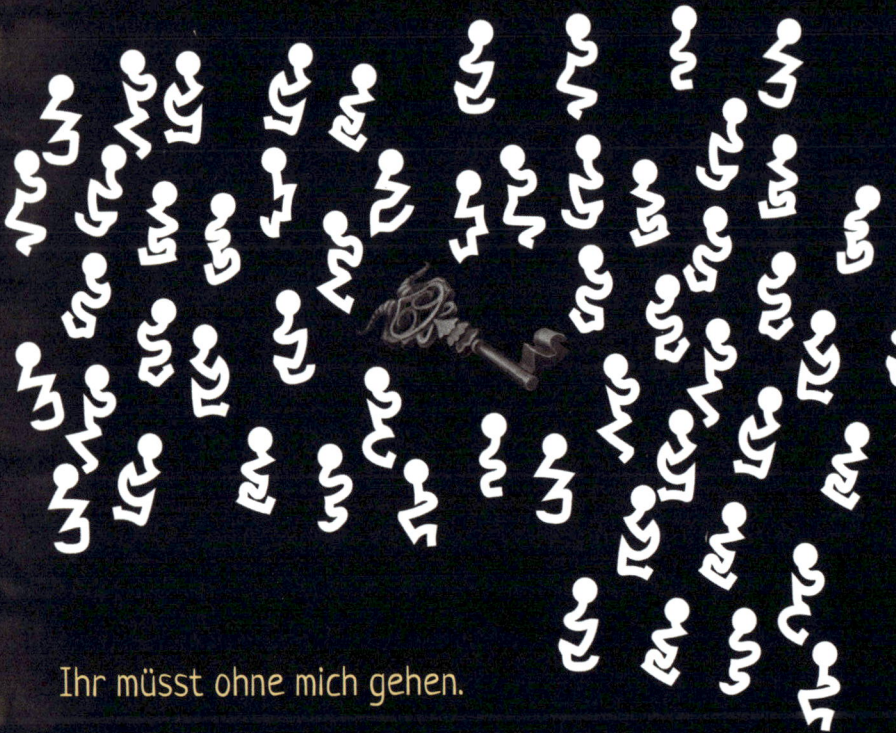

Ihr müsst ohne mich gehen.

Niemals! Man braucht für Weihnachten vielleicht keinen Tannenbaum. Oder Geschenke. Aber ohne Geist der Weihnacht geht es nicht! Undenkbar!

Keine Sorge. Hier, damit könnt ihr mich befreien. Ich habe es verschlüsselt und vor Ruprecht versteckt. Wenn alle Stricke reißen, öffnet es an Heiligabend.

Geht jetzt! Ihr habt einen langen Weg vor euch. Bleibt tapfer. Sucht die rote Weihnachtskugel. So kommt ihr aus dem Labyrinth.

Vielen Dank! *Die rote Weihnachtskugel finden wir! Such sie auf den Geschenken und notier ihre Seitenzahl in der Liste, dann öffne morgen das nächste Päckchen!*

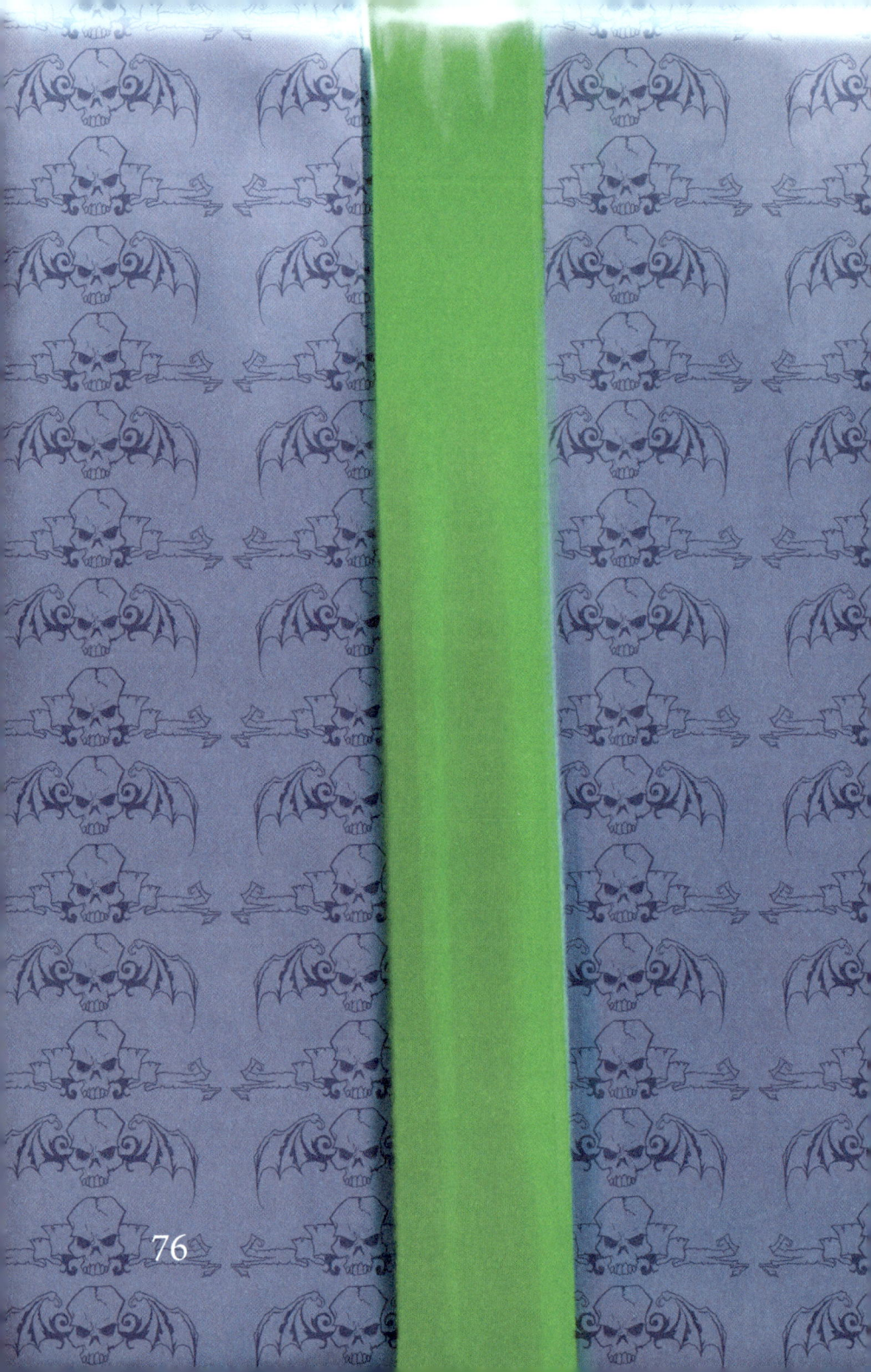

Der Weihnachtskontrollturm! Dort will Ruprecht hin! Oh, nein! Ich fürchte, er will den Polarstern abschalten!

Weihnachtskontrollturm? Polarstern? Was hat das denn mit Weihnachten zu tun?

Na, einfach alles! Aber das muss ein Geheimnis bleiben, o. k.? Ihr dürft das niemals verraten. Wir müssen Ruprecht unbedingt stoppen! Aber ich kann mich nicht mehr an den Code für die Tür erinnern!

Hey, das sieht doch aus wie das Haus vom Nikolaus! Ihr wisst schon, bei dem man nicht absetzen und nicht zweimal über dieselbe Linie malen darf. *Ich glaube, wenn wir unten den Code finden, bei dem das Haus richtig gezeichnet werden*

kann, kommen wir rein! Nimm am besten einen Bleistift. Bis morgen!

3-4-1-2-3-5-1-2-5
= Geschenk S. 123

1-4-5-2-3-4-2-1-3
= Geschenk S. 110

-3-5-2-3-4-1-5-4
Geschenk S. 94

3-4-2-5-3-2-1-4-5
= Geschenk S. 89

1-2-3-4-5-2-4-1-2
= Geschenk S. 5

Unglaublich! Du hast die Geschenkefabrik wieder zum Laufen gebracht!

Gut gemacht! Denkt nur an all die strahlenden Gesichter und das fröhliche Lachen!

Ha! Jetzt kann Weihnachten doch gar nicht mehr schiefgehen, oder?

Ich bin mir nicht sicher. Zuerst müssen wir Ruprecht schnappen. Damit er nicht noch mehr Schaden anrichtet. Wer weiß, was für Untaten ihm noch einfallen.

Seht mal! Sind das nicht Fußabdrücke?

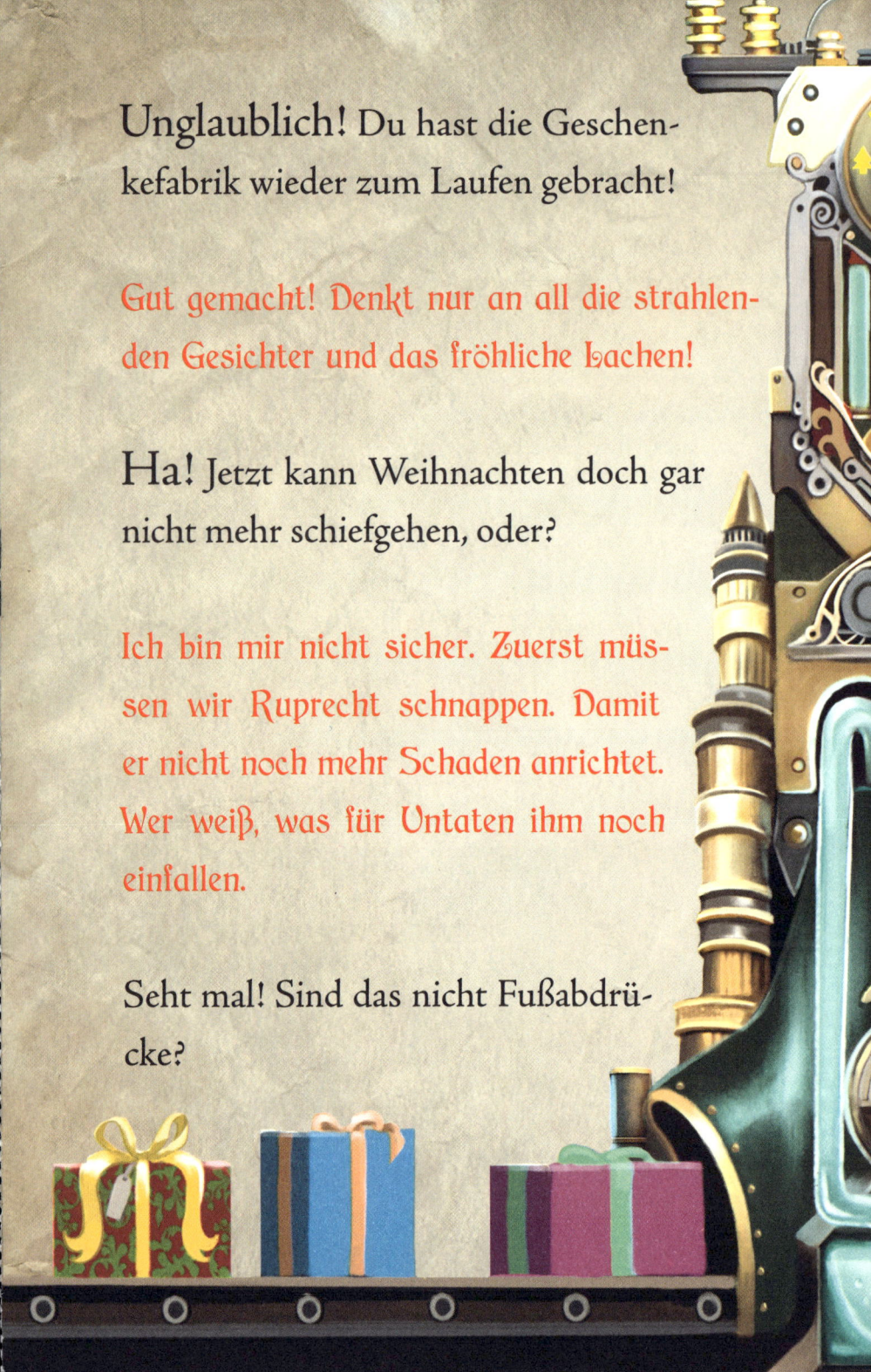

Die sind von ihm! Höchstens zwei Tage alt! Schnell! Wir müssen hinterher!

Gut! Dann haben wir eine heiße Spur! *Folg Ruprechts Fußabdrücken. Sie führen uns sicher bis zum Geschenk von morgen!*

84

Geschafft! Du hast ihn eingesackt! **HA!** Wir haben die Wichtel befreit, die Weihnachtsbäckerei in Gang gebracht, die Geschenkefabrik repariert und der Polarstern leuchtet auch wieder! Damit hast du nicht gerechnet, was, Ruprecht?

Das nützt euch gar nichts! Der Geist der Weihnacht ist immer noch gefangen. Ohne sie wird es kein Weihnachten geben! Das wisst ihr genau! Ich habe gewonnen!

Ruprecht hat recht. Ohne Geist der Weihnacht geht es nicht!

Moment! Wir haben doch noch ihr Geschenk! **Schnell!** Mach es auf!

Stimmt! Hier ist es:

Ein albernes Geschenk? Was soll euch das bringen?
Ihr habt verloren, hahaha!

Wartet! Lasst uns schnell auf Seite 6 springen,
damit Ruprecht uns nicht stören kann! *Blät-
ter auf Seite 6!* Da öffnen wir das Geschenk und schauen, wie wir den Geist der Weihnacht retten können! *Tu es jetzt gleich!*
Nicht erst morgen! Die Zeit drängt!

Wir sind im Weihnachtskontrollturm!!

Oh nein! Noch ein Schloss! Nicht noch mal!

Damit war zu rechnen. Der Kontrollturm ist extra gesichert. Dort kann man von Weihnachtsliedern und Geschenkeflut bis hin zum Schneegestöber einfach alles steuern! Da darf nicht jeder rein. Außerdem wird dort die Weihnachtsenergie zum Polarstern geleitet.

Deshalb schnell! Wir müssen dieses Schloss öffnen. Um Ruprecht endlich aufzuhalten!

Seht ihr die Tasten? Da muss man den Code eingeben! Ich kann mich an die Kombination noch erinnern:

1/E, 2/A, 3/E, 2/C

3/D, 7/B, 6/C, 7/A

1/C, 7/E, 3/A, 7/C

3/B, 7/D, 6/A, 1/B

1/A, 2/E, 3/C, 5/A

Aber ich weiß nicht genau, wie es funktioniert. *Mach am besten ein Kreuz auf jeder Taste, die gedrückt wurde!* Dann wissen wir bestimmt, wo wir morgen in den Kontrollraum kommen!

Hier führen Ruprechts Spuren also hin! Aber wo sind wir? Hier gibt's ja Tannenbäume! Ich dachte, am Nordpol wächst nichts?!

Kennt ihr nicht das Gedicht?
    »Von drauss' vom Walde komm ich her;
    Ich muss euch sagen, es weihnachtet sehr!«
    Das ist der Wald, aus dem wir kommen! Im Weihnachtswinterwunderland!

Ist hier oft so schlechtes Wetter?

Das ist Ruprechts Werk! Schnell! Wir müssen weiter! Bevor wir eingeschneit werden und seine Spur verlieren!

Am Horizont ist ein Schatten. Ich glaube, dahin will er hin. Ist das ein Gebäude?
    Schnell! *Folge Ruprechts Fußab-*

drücken! Scheint, als hätte er immer wieder die Richtung gewechselt, um seine Spuren zu verwischen!

49	67	77
29	135	61
START	93	120

Oh nein! Ruprecht hat tatsächlich den Weihnachtsstrahl abgestellt! Wir müssen ihn wieder starten. Aber er hat die Kabel rausgerissen!

Wie bringen wir ihn dann wieder zum Laufen?

Dafür bräuchten wir Hochspannung …

Hochspannung? Kann ich! *Liebe Leserin, lieber Leser, verbinde die Kabel neu! Und dann warte solange, wie es geht, bevor du morgen weiterliest!* Die Spannung, die du damit sammelst, reicht vielleicht, um den Strahl zu starten! *Verbinde die Kabelanschlüsse mit einem Stift nach Farben!* Und denk dran: Je später du morgen weiterliest, desto mehr Spannung haben wir!

100

101

Hey! Der Geist der Weihnacht hatte recht. Wir sind raus! Und ich rieche … Zimt?

Das ist die Weihnachtsbäckerei! Aber warum ist es so dunkel? Hier müssten alle Öfen brennen!

Oh nein! Ruprecht hat sie stillgelegt! Wo sollen jetzt all die Stollen, Plätzchen und Zimtsterne herkommen?

Und wo stecken die Weihnachts-Wichtel? Die halten hier immer alles am Laufen.

HilfeHilfeHilfeHilfeHilfeHilfeHilfeHilfeHilfeHilfeHilfeHilfeHilfeHilfeHilfeHilfeHilfeHilfeHilfeHilfeHilfeHilfeHilfe

Hört ihr das? Da ist doch was! Als ob ganz viele
kleine Zähne klappern? Da unten in der Ecke!
Versteckt sich da jemand?

Hilfe Hilfe Hilfe Hilfe Hilfe Hilfe Hilfe Hilfe Hilfe
Hilfe Hilfe Hilfe Hilfe Hilfe Hilfe Hilfe Hilfe Hilfe
Hilfe Hilfe Hilfe Hilfe Hilfe Hilfe Hilfe Hilfe Hilfe HilfeHi

Wir sind im Geschenk auf S. 69! Bis morgen!

Verbunden! Puh, war sicher anstrengend, so lange zu warten, oder? Aber es hat geklappt! Juchu!

Nicht so laut, pssst, sonst … Oh nein!

Ihr schon wieder!

Ha, du hast verloren! Der Polarstern leuchtet wieder!

Darum kümmere ich mich, wenn ihr wieder in meinem Sack seid! Los! Rein da!

Schnell! Ich weiß, wie wir ihn überrumpeln können! Fang ihn mit einem Eselsohr! Aber diesmal mit einem richtig großen! Beeil dich und knick die Seite um! Bevor er uns fängt.

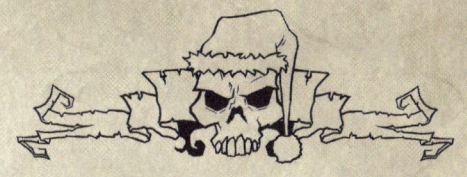

Du hast den Code geknackt!

Das hat sie uns also geschenkt! Ein Weihnachtswunder! Natürlich! Wieso bin ich nicht selbst darauf gekommen? Ein Weihnachtswunder beschwört den Geist der Weihnacht! Damit kommt sie frei! Wir müssen nur eins geschehen lassen. Heute Abend. Bei der Bescherung!

Ein Wunder geschehen lassen? Das musste ich schon mal. Da musste ich mich entschuldigen. Das war gar nicht schön!

Ein Weihnachtswunder ist viel einfacher, keine Sorge!

Du musst heute Abend nur jemandem etwas

schenken, womit er oder sie nie gerechnet hätte. Kann nur was ganz Kleines sein, wie das Versprechen, mal den Tisch abzuräumen oder jemandem zu helfen.

Aufräumen? **Stimmt.** Würde ich auch nie.

Genau deshalb wäre es ja ein Wunder! Und genau das brauchen wir heute Abend bei der Bescherung.

Also liebe Leserin, lieber Leser, *besorg dir einen Zettel.* Und eine rote Schleife. Es geht auch eine Karte.

Egal, ist gar nicht wichtig, wie es aussieht. Auf den Inhalt kommt es an! *Auf den Zettel schreibst du nämlich:*

WEIHNACHTSWUNDER

Und dann so was wie:

»Für _____ [jemand, den du heute Abend siehst]!«

110

Und dann schreibst du: »Danke für die tollen Pizzen immer«. Oder »fürs Herumfahren«. Falls du dich zum Beispiel nie bedankst. Oder du versprichst etwas: »Müll runterbringen«, »Zimmer aufräumen«. Oder … na ja, etwas, was du halt nie machst. Zumindest nicht freiwillig.

Und dann endest du mit »Frohe Weihnachten!«. Und das war's!

Und damit befreien wir den Geist der Weihnacht? Und retten Weihnachten?

Genauso ist es.

PUH. Liebe Leserin, lieber Leser? Da kommt was auf dich zu. Bist du überhaupt bereit dazu? Ich meine, jetzt liegt's nämlich ganz an dir. Du hast uns bis hierhin so toll geholfen, Weihnachten zu retten. *Tust du uns noch diesen*

letzten Gefallen? Sonst geht Weihnachten doch noch den Bach runter! Auch wenn ich froh bin, dass das dann doch nicht an mir lag – **puh!** Aber Ruprecht soll nicht gewinnen! Das können wir nicht zulassen, **oder?**

Bitte, versuch dein Bestes! Alles hängt jetzt von dir ab! *Schreib dein Weihnachtswunder auf! Und dann schenke es heute Abend jemandem.* Sonst ist Weihnachten für immer verloren!

Dann los! Und lass dir nichts anmerken, auch wenn die Leute dein Geschenk seltsam finden. Das kriegst du hin!

Wenn du das Wunder verschenkt hast, *lies am besten heute Abend noch weiter.* Oder morgen früh. *Wir treffen uns auf Seite 117 wieder.*

Hey, da bist du ja. Puh, was für ein Abenteuer, was? Damit hab ich selbst nicht gerechnet.

Und auch, wenn wir Weihnachten gerettet haben, statt es zu kapern ... und ich ja eigentlich nicht so gerne gute Dinge tue ... Also, ich finde, es hat sich trotzdem gelohnt, oder?

Wir haben Santa kennengelernt und den Geist der Weihnacht! Und am Nordpol waren wir. Und vielleicht hat mein Zauberspruch ja funktioniert und du hattest einen neuen Band von mir unterm Weihnachtsbaum? Das wär der Wahnsinn!

Falls nicht, hattest du hoffentlich trotzdem Spaß mit mir. Ich fand's jedenfalls toll mit dir!

Ich wünsche dir schöne Weihnachtstage!

ENDE

Du bist noch hier?! Du willst mir **wirklich** helfen?

Oh, ich wusste, dass du was Besonderes bist! Schon als du mich in die Hand genommen hast!

Also, zuerst mal möchte ich sagen, dass das alles wirklich ein Versehen war! **Ehrlich!**

Es war nur, weil …

Mir ist da eines Tages eine Idee gekommen. Weil ich mich geärgert hab, dass es immer noch Kinder gibt, die mich nicht kennen. Und da hab ich mich gefragt: Wie könnten die mich wohl kennenlernen? Und plötzlich hab ich gedacht: Moment mal! **Weihnachten!** Da gibt's doch immer Geschenke, oder? Wenn ich irgendwie dafür sorgen könnte, dass ich dieses Jahr zu Weihnachten unter jedem Weihnachtsbaum dieser Erde liegen würde, dann würden mich endlich alle kennenlernen. Dann wäre ich sogar auf einen Schlag das meistgelesene und beliebteste Buch der Welt! Und könnte endlich allen zeigen, wie böse, gruselig und gemein ich bin!

Ja, und weil ich die Idee gar nicht so übel fand, da hab ich dann ... also da hab ich ...

Also, da war so ein Zauberspruch. Normalerweise darf ich die ja gar nicht wissen. Magnus hat allen Büchern in seiner magischen Bibliothek verboten, je wieder mit mir darüber zu sprechen, der alte ... GRMPF.

Aber das sind ja auch nur Bücher. Denen ist ja auch mal langweilig. Und dann hab ich die halt immer ganz unschuldig nach Weihnachten und über Geschenke ausgefragt. Und ... na ja, eines Tages hat mir so ein ganz altes Buch verraten, wie's geht! Also den Zauberspruch dazu! Einfach so!

Es war nicht mal schwierig! Ich musste nur so ein Ritual machen, voll cool war das, mit Feuer und ich musste eine Maske tragen und hin und her tanzen und so weiter ... aber dann hat's auf einmal eine Explosion gegeben! Mit Blitz und Donner und alles war voller Rauch und dann ...

Tja ... dann ... *komm mal mit auf Seite 8.* Ich muss dir da was zeigen.

Hat es wirklich geklappt? Du hast das Weihnachtswunder verschenkt!?
Juchuuuu!

Frohe Weihnachten! Ich bin frei!

Ho, ho, ho! Frohe Weihnachten,
Geist der Weihnacht! Euch allen!
Ihr habt Weihnachten gerettet!

Ich hab's doch gleich gesagt!
Aber was wird jetzt aus
Ruprecht?

Tja, den müssen wir jetzt wieder
freilassen.

117

Frei…?! Aber ist der nicht gefährlich?

Keine Sorge. Jetzt kann er ja nichts mehr anstellen. Der beruhigt sich schon. Wie jedes Jahr.

Wie jedes Jahr?!

Ja, Ruprecht versucht fast jedes Jahr, Weihnachten kaputt zu machen. Deshalb hab ich ja immer den Notfallzettel in meiner Tasche. Den habt ihr doch am Anfang gefunden, oder?

Ach, wegen Ruprecht war der!?

Die meisten wissen gar nicht, wie schwer es ist, jedes Jahr für ein frohes Fest zu sorgen. Aber dazu bin ich ja da.
Und ihr habt diesmal mitgeholfen!

Ich hoffe trotzdem, dass Ruprecht nicht sauer auf mich ist.

Was? Aber nein, wieso denn? Im Gegenteil: Er wird dir dankbar sein.

Dankbar? Wieso das denn?

Na, weil ihn dank dir jetzt viel mehr Kinder kennen. Weil sie dich gelesen haben. Also werden sie auch in Zukunft Angst vor ihm haben. Das wird ihm gefallen.

Ist manchmal schwierig. Aber an Weihnachten gehören alle zusammen. Da muss man auch mal verzeihen und sich entschuldigen können, nicht wahr?

Ist ja gut, ist ja gut. Tut mir leid. Vielleicht hab ich ein bisschen übertrieben. Mal wieder. Aber es ärgert mich eben, wenn die sich nicht benehmen können, diese Rotznasen! Und erst recht, wenn ihre Eltern sogar noch schlimmer si...

Schluss jetzt, Ruprecht. Es ist Weihnachten. Jetzt wird gefeiert! Macht's gut!

FROHE WEIHNACHTEN!

FROHE WEIHNACHTE

Frohe Weihnachten!

Und wenn du Zeit hast, *komm morgen noch mal mit auf Seite 113.* Da verrat ich dir noch was!

FROHE WEIHNACHTEN!

FROHE WEIHNACHTEN!